TEXTE : GILBERT DELAHAYE
IMAGES : MARCEL MARLIER

martine
fait de la voile

casterman

© Casterman 1979

Droits de traduction et de reproduction réservés pour tous pays. Toute
reproduction, même partielle, de cet ouvrage est interdite. Une copie ou
reproduction par quelque procédé que ce soit, photographie, microfilm, bande
magnétique, disque ou autre, constitue une contrefaçon passible des peines
prévues par la loi du 11 mars 1957 sur la protection des droits d'auteur.

Martine écrit à son amie Françoise :

« Je suis à l'École des Goélands. Nous apprenons à naviguer à la voile. Voici l'horaire de la journée : le matin, gymnastique, cours théorique et pratique. L'après-midi, sortie en bateau ou bien exercices. On se couche tôt car il faut se lever de bonne heure. On ne s'ennuie jamais à l'École des Goélands !

» J'ai emmené mon chien Patapouf. Au début, ils refusaient de le garder. Mais le moniteur a été gentil. Il n'a pas voulu qu'on le mette à la porte. Il a dit que c'était bon pour une fois. La nuit, Patapouf dort dans le garage. On lui a donné une couverture.

» Hier, vent et soleil. Une journée parfaite pour la voile. Tous les bateaux sont sortis. Il fallait voir ça!

» Nous sommes nombreux à l'école de voile : des garçons et aussi beaucoup de filles. Je fais partie de l'équipe des 'Marsouins'. Nous habitons de petits chalets en bois. C'est merveilleux!

» Je termine ma lettre. C'est l'heure d'aller au cours. »

Dans la classe des 'Marsouins', le moniteur — il s'appelle Tony — explique l'A B C de la voile et de la navigation, c'est-à-dire tout ce qu'on doit savoir pour débuter.

— Commençons par le moteur !

Les garçons rient. Tony écrit sur le tableau :

— Le moteur, c'est la voile.

— Qu'est-ce qui fait marcher la voile ? demande l'élève Patapouf.

— C'est le vent, pardi ! répond Martine. Le vent vient des quatre points cardinaux : le nord, le sud, l'est et l'ouest.

— Très bien, Martine, dit Tony. Mais se servir du vent et d'une voile, ce n'est pas si simple. On ne conduit pas un voilier comme une bicyclette, du jour au lendemain. Avant de naviguer, il est indispensable de connaître son bateau à fond.

— Qui peut me dire ce qu'est un voilier ?

— C'est une coque avec un mât et une voile.

— D'accord, Martine... mais c'est bien autre chose !

— Euh, il y a aussi des planches, des poulies, des cordes...

— On doit appeler tout cela par son nom. Ça c'est une *dérive*. Elle assure la stabilité du bateau. On dirige le voilier avec la *barre*. Elle commande le gouvernail appelé *safran*.

Patapouf commence à trouver le temps long :

— Si on faisait une promenade sur l'eau ?...

Pour tenir droit sur un bateau, il s'agit d'avoir le pied marin.
C'est une question d'habitude.

Tony propose un excellent exercice : qui fera basculer
son adversaire?

L'équipe des 'Marsouins' a été désignée pour se
mesurer avec celle des 'Albatros'.

Martine a fort à faire. Elle manque d'entraînement.

Un faux mouvement, et ce serait la culbute.

— Tiens bon, Martine, tiens bon!...

La voilà qui tombe à la renverse. Quel
plongeon!... Bravo quand même! Elle a du cran.

Attention, il ne faut jamais s'embarquer sans avoir mis son gilet de
sauvetage!

Un bon marin se renseigne sur le temps qu'il fera le lendemain, sur la direction et la force du vent. Il interroge la météo.

Le ciel, la mer, les bateaux sont des amis capricieux. Attention aux surprises quand se lève la tempête ! Prudence ! Quelquefois aussi on rate une manœuvre. C'est un incident qui arrive plus souvent que vous ne l'imaginez !

Une vague, un coup de vent, le voilier se retourne...

— Au secours ! A l'aide ! crie Patapouf.

À l'École des Goélands, on apprend la manière de redresser un voilier qui chavire :

— Mets-toi debout sur la dérive, Martine, crie Tony. Grimpe à cheval sur la coque. C'est comme ça qu'on rétablit l'équilibre.

— Connaissez-vous le jeu des pirates?

— Est-ce qu'il y aura des grands sabres... et des requins? demande Martine, un peu inquiète.

— Mais non, voyons, explique Tony. Chaque pirate manœuvre sa barque. Un trésor est caché sur l'île. Là, un gardien empêche les assaillants de débarquer. Le premier qui découvre le trésor, je l'emmènerai dimanche sur mon *dériveur*... Tout le monde est d'accord? En avant!

Mais il ne suffit pas de ramer pour se déplacer sur l'eau. Encore faut-il se diriger avec les bras, avec les jambes, sinon...

Une barque chavire. Une autre se met *en travers*. Patrick accroche Martine. Quelle pagaille!

C'est Martine qui a découvert le trésor. Elle a droit à la promenade
en dériveur. Mais aujourd'hui c'est la sortie des « optimists ».

— C'est quoi, un « optimist » ?

— Un voilier à une place avec juste une voile et un gouvernail. Il
convient très bien pour apprendre à naviguer.

Chacun s'affaire autour de son bateau. On dresse les mâts, on fixe
les *bômes*. Patapouf court dans tous les sens :

— Chic alors!... On embarque. Dépêchons-nous!...

C'est parti! Les « Marsouins » naviguent : Martine, Luc, Patrick, Stéphanie, Dominique, Sébastien... et là-bas tous les autres. Ils se suivent à la file indienne, comme les canards.

Ça n'est pas facile d'évoluer ensemble! Luc se rapproche trop de Patrick. Martine a le vent *de travers*.

Tony annonce la manœuvre :

— Nous allons *virer de bord*... Vous êtes prêts?...

Martine tient la barre et surveille la voile. Elle attend les ordres. Patapouf a le souffle coupé.

Pour une aventure, c'est une aventure!

Le soir, tous les « optimists » sont rentrés à l'école de voile. Encore une belle journée qui s'achève. Le soleil, au couchant, se
reflète sur l'eau. Le vent s'apaise. Plus un souffle. Çà et là, un
voilier se balance à peine sur les vagues. Une mouette passe. La
nuit va venir.

Au réfectoire, les « Marsouins » sont de bonne humeur.
On bavarde. On commente les événements de la journée :

— Il est chic, le moniteur !

— Je le connais bien, c'est le même que l'année passée.

— Il n'est pas trop sévère. Il explique à fond. Avec lui,
tout paraît simple. C'est épatant !

— Tu peux lui demander n'importe quoi.
C'est quelqu'un, Tony ! Il a déjà beaucoup navigué.

— Tu as vu son canot pneumatique ? Avec ça, il peut aller
partout. Et si tu as un pépin, il arrive.

— Tu crois que j'irai dans son dériveur ? demande Martine.

— Bien sûr ! Il tient parole, Tony.

Le lendemain, tous les copains se retrouvent au débarcadère :

— Est-ce que tu sais nager ?

— Bien sûr ! Pourquoi ?

— Parce que, si tu tombes à l'eau, il n'y a pas toujours quelqu'un pour te rattraper.

— Tu as raison, Sébastien. Tout le monde devrait savoir nager !

— Tu sais ce que nous allons apprendre aujourd'hui, Martine ?

— Nous allons faire des nœuds.

— Ah oui ?...

— Mais c'est important, les nœuds ! Il y en a qui sont drôlement compliqués. Celui-ci par exemple ! Tu vois...

15

C'est le grand jour. Tony va emmener Martine sur son dériveur : un vrai, avec un *foc* et une *grand-voile*.
Elle en a de la chance, Martine, de pouvoir se promener autour du lac sur ce beau voilier !
Elle vérifie soigneusement la *drisse*, les *haubans*, les *écoutes*.
— Pourvu qu'elle ne casse rien !...

Le voilier file à toute allure. Il emporte Martine, le moniteur et Patapouf. L'eau jaillit sous l'*étrave*. Le vent gonfle et siffle dans les haubans.

Il souffle d'où il veut, quand il veut, le vent. Les marins essayent de l'apprivoiser. Mais cela demande beaucoup d'adresse.

— La barre à gauche, Martine...

— Oh là là! nous allons chavirer!

— Penses-tu! Tout ira bien. Je m'occupe de la voile.

Patapouf a toujours des questions à poser : « Comment s'y prend-on pour aller contre le vent ?... Et pour faire demi-tour ?... Qui a la priorité ?... Est-ce qu'il y a un frein pour s'arrêter ?... »

Oui, c'est compliqué de manœuvrer la voile. Pour y arriver, il ne suffit pas de quelques leçons.

L'été prochain, Martine reviendra sûrement s'entraîner avec les copains à l'École des Goélands.

Finies les vacances ! Il faudra bientôt se quitter.

Le ciel rougit. Demain, nous aurons de la tempête. On démonte les mâts et les voiles en vitesse.

On échange des projets : ça donne du courage.

— Plus tard, quand je serai marin, j'irai jusqu'au bout du monde. Je rapporterai des tas de souvenirs : des coquillages, des colliers de perles, des plumes de perroquets, des poissons exotiques.

— Moi, j'aurai un bateau de course : un bleu et rouge avec des voiles partout. J'en mettrai une devant, grosse comme un ballon... Mon voilier s'appellera « L'Étoile filante ».

— Qui va rentrer les bateaux? demande Tony.

— Moi, je veux bien!

— Moi aussi, dit Luc en remontant ses manches.

— Vous venez, les filles? On a besoin de vous.

— Allons-y...

On ne traîne pas les voiliers : ça les abîme. Il faut les porter avec précaution. C'est un travail d'équipe, on ne peut pas tout laisser sur le dos des mêmes.

Chez les « Marsouins », on s'entend bien. De temps en temps, on rigole un bon coup. Mais apprendre à naviguer, c'est une chose sérieuse!

Il reste beaucoup à faire : plier les voiles, nettoyer les bateaux, laver, brosser, ranger le matériel.

— Ce n'est pas le moment de s'amuser, les gars!... Si vous lambi-nez, on n'aura jamais fini!...

Martine, Patrick, Stéphanie, Dominique... toute l'équipe est à l'ou-vrage. On se dépêche avec le sourire. A l'École des Goélands, celui qui se croise les bras n'est pas un vrai copain. Heureusement les « Marsouins » sont un peu là!

C'est parfait. L'an prochain, les camarades vont trouver le matériel en bon état. Le moniteur est content... Bravo, les « Marsouins ».

Imprimé en Belgique par Casterman, s.a., Tournai, juillet 1986. N° édit.-impr. 3181. Dépôt légal: 4ᵉ trimestre 1979; D. 1986/0053/122.
Déposé au Ministère de la Justice, Paris (loi n° 49.956 du 16 juillet 1949 sur les publications destinées à la jeunesse).